Date: 4/12/19

SP E FREEMAN
Freeman, Don,
Corduroy / cescrito e ilustrado
por Don Freeman.

CORDUROY

CORDUROY

Edición Española

Escrito e ilustrado por Don Freeman

PUFFIN BOOKS

Dedicado a Sally Elizabeth Kildow
y a Patrick Steven Duff Kildow,
quienes saben lo que siente un osito por los botones

PUFFIN BOOKS
Published by the Penguin Group
Penguin Young Readers Group, 345 Hudson Street, New York, New York 10014, U.S.A.
Penguin Group (Canada), 90 Eglinton Avenue East, Suite 700, Toronto, Ontario, Canada M4P 2Y3 (a division of Pearson Penguin Canada Inc.)
Penguin Books Ltd, 80 Strand, London WC2R 0RL, England
Penguin Ireland, 25 St Stephen's Green, Dublin 2, Ireland (a division of Penguin Books Ltd)
Penguin Group (Australia), 250 Camberwell Road, Camberwell, Victoria 3124, Australia (a division of Pearson Australia Group Pty Ltd)
Penguin Books India Pvt Ltd, 11 Community Centre, Panchsheel Park, New Delhi – 110 017, India
Penguin Group (NZ), 67 Apollo Drive, Rosedale, North Shore 0632, New Zealand (a division of Pearson New Zealand Ltd)
Penguin Books (South Africa) (Pty) Ltd, 24 Sturdee Avenue, Rosebank, Johannesburg 2196, South Africa

Penguin Books Ltd, Registered Offices: 80 Strand, London WC2R 0RL, England

Corduroy first published in 1968 by The Viking Press, 1968
This translation published by Viking Penguin Inc., 1988
Published in Picture Puffins, 1990

*   59 60

Copyright © Don Freeman, 1968
Translation copyright © Viking Penguin Inc., 1988
All rights reserved

Library of Congress Catalog Card Number: 90-61306
ISBN 978-0-14-054252-3

Manufactured in China

Corduroy es un osito que por un tiempo vivió en la juguetería de una tienda grande. Día tras día esperaba junto a los otros animales y muñecos que alguien viniera y se lo llevara a casa.

La tienda siempre estaba llena de gente que compraba todo tipo de cosas, pero parecía que nadie nunca deseaba comprar un osito con pantalones verdes.

Luego, una mañana, una niñita se paró y miró directamente a los ojos brillantes de Corduroy.

—¡Mira, mami!— dijo. —¡Mira! Allí está el osito que siempre he querido.—

—Hoy no, mi amor,— su mamá se lamentó. —Ya he gastado mucho. Además no parece nuevo. Ha perdido uno de los botones de sus tirantes.—

Corduroy miró con tristeza como se alejaban.

—No sabía que había perdido un botón,— dijo para sí.
—Esta noche voy a ver si lo encuentro.—

Ya tarde esa noche, cuando todos ya se habían ido y se habían cerrado las puertas de la tienda, Corduroy bajó con cuidado de su

estante y empezó a buscar su botón perdido por todo el piso.

¡De repente sintió que el piso se movía! De pura casualidad se
había parado en las escaleras automáticas— ¡y hacia arriba se fué!

—¿Será esto una montaña?— se preguntó. —Creo que siempre he deseado subir una montaña.—

Cuando llegó al piso siguiente se bajó de las escaleras, y allí, ante sus ojos, estaba una vista muy sorprendente—

mesas y sillas y lámparas y sofás, y filas y filas de camas. —¡Esto debe ser un palacio!— Corduroy dijo, maravillado. —Creo que siempre he deseado vivir en un palacio.—

Se paseó por todo el sitio, admirando los muebles.

—Esto deve ser una cama,— dijo. —Siempre he querido dormir en una cama.— Y se encaramó sobre un enorme y grueso colchón.

De repente vió algo pequeño y redondo.

—¡Caramba, aquí está mi botón!— gritó. Y trató de recogerlo. Pero, al igual que los demás botones de un colchón, estaba firmemente amarrado.

Tiró y jaló con sus dos patas hasta que ¡PUM! El botón se desprendió—y Corduroy cayó del colchón,

dándose un topetazo contra una lámpara de piso grande.

¡CATAPLUM! Cayó la lámpara.

Corduroy no lo sabía, pero alguien más estaba despierto en la tienda. El guardia nocturno hacía su recorrido por el piso de arriba. Cuando oyó el ruido, bajó corriendo las escaleras.

—¿Quién pudo haber hecho esto?— exclamó. —¡Alguien debe estar escondido por aquí!—

Con su linterna alumbró por arriba y por debajo de los sofás y de las camas, hasta llegar a la cama más grande de todas. Y allí vió dos orejas peludas de color marrón que salían de abajo del cubrecama.

—¡Hola!— dijo. —¿Cómo has subido hasta aquí?—

El guardia puso a Corduroy bajo el brazo, lo llevó escalera abajo,

y lo colocó en el estante de la juguetería junto a los otros animales
y muñecos.

Corduroy apenas se había despertado cuando vió a los primeros
clientes entrar en la tienda en la mañana. Y allí, mirándolo con una
amplia y cariñosa, sonrisa, estaba la misma niñita que justo había
visto el día anterior.

—Me llamo Lisa,— dijo la niña, —y vas a ser mi propio osito.
Anoche conté lo que había ahorrado en mi alancía y mi mamá dice
que puedo llevarte a casa.—

—¿Quieres que te lo ponga en una caja?— le preguntó la vendedora.

—No, muchas gracias,—contestó Lisa. Y en sus brazos se llevó a Corduroy a casa.

Subió corriendo los cuatro pisos de escaleras hasta el apartamento de su familia y derechito a su cuarto.

Corduroy pestañeó. Allí había una silla y un gavetero, y al lado de una cama de niña estaba una camita justo de su tamaño. El cuarto era pequeño, nada parecido al enorme palacio de la tienda.

—Este debe ser mi hogar,— dijo. —Sé que siempre he querido un hogar!—

Lisa sentó a Corduroy en su regazo y comenzó a coser el botón de sus pantalones.

—Me gustas tal y como estás,— dijo, —pero te sentirás más cómodo con tu tirante amarrado.—

—Seguro qu tú eres una amiga,— dijo Corduroy. —Siempre he deseado tener una amiga.—

—¡Yo también!— dijo Lisa, y le dió un fuerte abrazo.